Susana Illera Martínez

lo que escribo en la arena

(CUENTOS Y OTRAS COSAS QUE SE OLVIDAN)

Lo que escribo en la arena
(cuentos y otras cosas que se olvidan)

ISBN-13: 978-1951484521
Publicado en los Estados Unidos por
Snow Fountain Press
25 SE 2nd. Avenue, Suite 316
Miami, FL 33131
www.snowfountainpress.com

Dirección editorial: Pilar Vélez
Edición: Marina Araujo
Ilustraciones: Julián Gómez
Diseño y diagramación: Susana Illera Martínez
Fotografía portada y contraportada:
Simone Viani y Suganth ©Unsplash.com
Foto de la autora: Paula Valencia

www.susanaillera.com

@susanaillera martinez

cuentos

microrrelatos

Me gusta viajar como el barco del ojo
que va y viene en cada parpadeo.

Vicente Huidobro

cuentos

El lado derecho

Diestro, es así como soy, y es de la única manera absurda en que puedo actuar. Todos piensan que estoy loco, pero no es así; simplemente me cuesta encajar con la gente, en especial los zurdos.

Víctima de una simple casualidad, encontré a Natalia en aquella calle estrecha de recuerdos y nostalgias; ojalá fueran solo eso, recuerdos, pero es inútil tratar de olvidar, como tan inútil resulta querer retroceder el tiempo. La tenía de nuevo ante mis ojos y ante mi vida. Su aroma melancólico y su piel caramelo se transformaban en el lienzo de sus delicadas pecas, haciendo juego con sus ojos marrones, que me transportan a un mundo donde sí somos compatibles y la electricidad de nuestros polos opuestos no es un obstáculo para el amor.

Buscó la manera sutil de acercarse a mí, como lo hacía siempre; me besó en la mejilla y me susurró la noticia que se clavó en mi alma como un metal ardiendo. ¿Embarazada? Ella continuaba relatando detalle a detalle su historia, mientras yo, con cada palabra que escuchaba, iba perdiendo el deseo de continuar con la conversación.

¿Cómo comprenderla sin juzgarla? ¿Cómo procesar su alevosía? Pensé que quizás debía dejar de lado mi ateísmo e invocar a tres santos y un par de ángeles a ver si era posible entender, o mejor dicho aceptar. Si pudiéramos percibir las acciones de los demás como si se tratara de las propias, pero no es así, las equivocaciones ajenas se convierten en piedras, sólidas masas de concreto que no dejan de estorbar en el camino; tratar de sepultarlas solo nos deja exhaustos.

Ella y sus historias de colores irreales, ella y sus caprichos, ella y sus complejos, siempre ella... y yo, ¿de dónde sacaría fuerzas para liberarme de este huracán que lleva su imborrable nombre? ¡Es imposible! Solo invocando a todos los santos y ángeles en los que nunca he creído, ni creeré.

Mi lógica me domina, aunque quiero escabullirme en mi cerebro para encontrar aquel lado sensible que dicen todos tenemos, pero en una personalidad como la mía se trata de una parte tan insignificante, un lado inútil.

Mis ojos tratan de evadir su mirada magnética mientras mi mente trata de ubicarse, pero no lo logra, y yo, como siempre, termino calculando los efectos de nuestras acciones y rindiéndole cuentas a un futuro que no ha llegado. Las telenovelas nunca se equivocan en algo: la vida es una completa ridiculez.

Deseo tanto que Natalia deje de llorar. ¿Es que acaso todo se soluciona con lágrimas?, ¿me dejaré otra vez vencer por ellas a causa de no saber menguarlas? ¡Por supuesto! Terminaré como siempre, en la soledad de mi cuarto, analizándome, culpándome.

Ella pretende que sea perfecto, y yo solo puedo ser ¡un perfecto idiota! que no sabe decir que no y que nunca encontró su razón de existir. La maldita presencia de la gente me hace sentir cada vez más solo.

Ese niño que lleva en su vientre me trae mil fragmentos de nostalgia y al mismo tiempo deseos de volver a nacer. Sería perfecto volver a empezar, saber qué camino evitar y dónde poner atención para enmendar los errores que marcaron toda una vida. ¡Ja! ¿Y dicen que no puedo ser un soñador? Iluso tal vez, soñador, yo también lo dudo. Tengo mucho que aprender y poco que enseñar. Solo tengo una lección que deseo enseñar a ese hijo que no llevará mi nombre: a sentir sin sufrir; pero primero debo aprenderlo yo.

¡Natalia no para de hablar! Va por la vida vociferando cada minuto sus acciones y pensamientos; yo la miro absorto, hipnotizado por su melodiosa voz y por los gestos que decoran su discurso hasta que olvido el tema de la conversación. Mi boca silente no encuentra cómo responder. ¿Para qué? No vale la pena.

Aquel día ella llegó sin anunciarse, y el umbral de mi puerta parecía un espejo de luces a causa del reflejo de su abrigo, no sé mucho de modas, pero no creo que todos esos colores deban vestirse al mismo tiempo, y a la final no importan los colores, si debe traer las piernas sofocadas por los pantalones de mezclilla ajustados. El atuendo se volvió invisible cuando noté la envidiable sonrisa de victoria que acaparaba su rostro. Había conseguido un trabajo como modelo de revista, y su orgullo y fascinación eran tan grandes, que no le permitían mirar hacia abajo para verme doblado, tratando de recoger los pedacitos en los que dejó mi alma cuando me contó la noticia.

Es inútil imaginar lo conveniente que sería si Natalia tuviera un carácter como el mío, los dos podríamos planearlo todo, convertirnos en un equipo infalible de pronósticos y pasos calculados. Un círculo, ahora de tres, que termina en el mismo punto donde comienza. Troné mis propios dedos para regresar a la realidad, fría e incierta, pero con una decisión tomada. Debía pedirle que se marchara.

Detesté su reacción, aunque no me sorprendió, ella es muy emocional y yo a duras penas entiendo lo que es eso. Pero detesté más aún ese cosquilleo que sentí al pensarla libre e independiente, ganando su propio dinero, resolviendo sus propios asuntos sin necesitar más de mí. ¿Acaso no era eso lo que yo quería? ¿Lo que tanto había esperado para alejarla de mi vida?

Aun sabiendo que esto sucedería, me ví forzado a disimular mi sonrisa irónica y condescendiente; darle a Natalia mi apoyo con la debida distancia y limitarme a pagar la cuenta del hospital, tal como se lo ofrecí cuando me llamó por teléfono sollozando porque perdió su trabajo. Entré a la habitación donde ya se encontraba con la pequeña criatura en brazos, y todo lo planeado se fue al carajo.

Diminuta y hermosa Eva: no me equivoco al decir que tienes los ojos de tu madre, y que tus pupilas ya revelan tu fuerte e indomable carácter. ¿Cómo un ser tan pequeñito puede tener la osadía y el valor para afrontar al mundo? Si yo abriese la ventana, presiento que escaparías volando, desplegando tus alas, sin detenerte a mirar lo insignificante de la humanidad.

Y, ¿a mí? No sé lo que me hizo falta en la vida, si una ventana abierta o un par de alas.

En mi acostumbrada tendencia a ocultar mis sentimientos, no dudé en aceptar su solicitud descabellada de ayudarle a buscar al padre de su hija. De todas maneras, no soy dueño de Natalia, ni mucho menos de Eva; no pretendo ser más de lo que ellas dos me piden, y no atarlas es la respuesta; aun sabiendo que su ausencia me traerá la muerte.

Las entregué y las vi partir; a las únicas dos mujeres que me cautivaron desde el primer segundo que las tuve frente a mí. ¿Qué me queda ahora? Me resta deshacerme del furtivo vínculo que sus miradas crearon en mí, pequeñas brisas que pasaron por mi vida convirtiéndose en tempestad.

¡Qué ironía! Tenerlo todo y nunca celebrarlo por no poder ser más que un ingrato diestro, lógico y ridículo luchando contra una corriente de sentimientos. El no saber qué busco es la razón por la cual no encuentro nada. Ahora, estoy solo de nuevo, sin más quehacer que ver los días llenarse de esperanzas que abrigan a otras almas para continuar sus caminos, pero no a la mía.

Soy un estúpido, ¡ni siquiera fui capaz de averiguar si ella me amaba! Estuve a medio instante de ser feliz y el único peso que me fijó al suelo, el único viento que me pegó en la cara, el único lazo que me ató a la angustia fui yo... y mi torpe y ridículo lado derecho.

Tenía un pie en la ilusión obligada
y otro en la realidad secreta.

Isabel Allende

Cartas a Rosa

—No me gusta cómo se te ven esos anteojos —dijo la madre de Enrique al verlo llegar esa tarde a su casa de visita.

Llegó, como todos los domingos, pasadas las dos, lo suficientemente tarde para perderse el almuerzo y no tan cerca de la noche evitando tener que improvisar algún pretexto para no quedarse a cenar. Se quitó los anteojos y los posó junto a las llaves del auto en la mesita del pasillo, no lo hizo por darle gusto a su madre, sino porque decidió que era mejor no tener la vista tan aguda cuando ella vestía esa bata de casa que atentaba contra las reglas de «pararse a contraluz».

—¡Déjalo tranquilo, mujer! —exclamó Nicolás, su padre, sin abandonar su posición perenne en el sofá de la televisión.

—Hola, papá —lo saludó Enrique, seguido del ritual, que acostumbraban ambos, de sentarse en la salita de la televisión a analizar todos los eventos deportivos de la semana.

—¿Ya estás listo para mí? —preguntó Luisa al cabo de una media hora, cubriéndose con un chal de color rosa pálido, y dirigiéndose hacia el estadero de atrás de la casa.

—Sí, mamá —respondió Enrique tomando, como ya era costumbre, la libreta tamaño carta y el bolígrafo de su bolsillo—. Estoy listo.

Querida Rosa:

Hace dos días me di cuenta de que el árbol de aguacates del patio ya no está dando frutos. Yo te aseguro que seguí todas tus indicaciones, pero no tengo la misma mano que tú tienes con las plantas, siempre has sido muy buena con eso, desde que éramos niñas, pero a mí no sé por qué no se me da.

Al terminar el dictado, Luisa se aseguró de que la carta estuviera bien doblada, dentro del sobre respectivamente diligenciado y con una de las estampillas que ella mantenía siempre en la gaveta. Se las compraba cada lunes al muchacho de la tienda cuando iba a buscar el queso fresco, no sin quejarse del costo de estas para ser un pedacito de papel. «Debe ser porque ahora ya se pegan solas y no hay que lamerlas», se convencía, pero no le gustaba.

Guardando la carta en el bolsillo de su chaqueta, Enrique se despidió de sus padres y del ritual dominical cuando el reloj dio las cinco.

Querida Rosa:

Espero que no estés molesta conmigo por lo del árbol de aguacates. El martes le pregunté al jardinero de la vecina del frente si había algo que pudiera hacer, me dijo que no es temporada y que debemos esperar hasta agosto. Menos mal, yo pensé que se había echado a perder por mi culpa.

Enrique no se consideraba un hombre solitario, pese a lo que decían sus compañeros de la oficina, constantemente cuestionando la falta de una novia o criticando que nunca se le veía presente en los eventos sociales del trabajo. Los días de la semana transcurrían como rituales, de ocho a cinco en el trabajo, noches de documentales en la televisión y programas deportivos. No veía noticieros, le causaban ansiedad. Sábados de biblioteca y los domingos la rutina usual en casa de sus padres, los mismos temas de conversación y un nuevo dictado.

Querida Rosa:

La última vez que conversamos por teléfono noté tu voz un poco cortante, me dijiste que estabas con gripe y yo, para variar, te caí encima con recomendaciones que ni yo misma sigo al pie de la letra. Ya me conoces, quién sabe si cambiaré algún día, pero qué más da, todos tenemos defectos. Deberíamos hablar nuevamente.

—Enrique... ¿hace cuanto que no sales de vacaciones?

—No sé, papá, no llevo la cuenta —respondió inquieto—. ¿Por qué lo preguntas?

—Bueno, hijo, es que yo puedo estar muy callado y en mi mundo, pero me doy cuenta de más cosas de las que tú te imaginas, yo observo.

—Estoy bien, papá —insistió Enrique y Nicolás se conformó con la respuesta.

Querida Rosa:

He decidido pedirle a Enrique y a Nico que me ayuden a buscar la máquina de coser que guardé hace tantos años en el garaje. Pienso que me hace falta un pasatiempo, y si mal no recuerdo no me iba muy mal con esto de la costura, ¿recuerdas que te ayudé a arreglar tu vestido de novia? En el almacén del centro venden unas telas muy lindas, voy a comprar unas y te haré una blusa, pero debes pasar por aquí ya que hace mucho que no te tomo las medidas.

—Hijo, quédate a cenar que preparé la carne con papas que te gusta —dijo su madre al terminar el dictado, pero Enrique recicló uno de sus tantos pretextos, tomó la carta y se marchó a las cinco.

Querida Rosa:

No pude encontrar la máquina de coser, ese garaje es un desastre y a decir verdad ya estamos viejos y el físico no nos da para estar arreglando todo, tu sabes... la ciática. Pero no te preocupes que no todas son malas noticias. ¡Tenemos aguacates! Te guardaré unos cuantos para cuando vengas.

Esa tarde Enrique decidió dejar el auto en casa de sus padres y caminar a su apartamento, eran unas cuantas cuadras nada más y necesitaba distraer su mente «tratar de no pensar», pero era imposible, lo invadió la imagen del garaje, lleno de cajas cubiertas de polvo e infinidad de recuerdos, entre ellos el de la máquina de coser que hace años fue regalada, tenía fijo en su mente el rostro de su padre y su habilidad para pretender que todo estaba igual. ¿Cómo lo lograba su padre? ¿Cómo lo estaba logrando él mismo? Se sintió como un mentiroso, buscando consuelo en las recomendaciones del médico, en la importancia de no causarle pensamientos estresantes a su madre, no forzarla a recordar, por su propio bien.

Siguió caminando, respiró de una bocanada el aire de los arboles al pasar junto al parque, a ver si así lograba quitarse de la nariz el olor a la tercera cosecha de aguacates que ya comenzaba a podrirse. Otra vez esos malditos aguacates.

Entró a su apartamento y dejó que la puerta se cerrara detrás, se quitó los anteojos y los guardó con cuidado en el cajón. Sacó del bolsillo de su chaqueta la correspondencia más reciente y la colocó sobre las demás, se dio cuenta de que ya no sabía cuántas cartas yacían apiladas en esa mesita desde la muerte de la tía Rosa; había perdido la cuenta.

La muerte es una vida vivida.
La vida es una muerte que viene.

Jorge Luis Borges

A simple vista

Lisa azotó la puerta a sus espaldas y caminó deprisa hacia la cocina; entró jadeando y golpeó el periódico doblado sobre el impecable mesón de granito ante los ojos abiertos y preocupados de Lorenzo.

—¡Está en toda la prensa del día! —dijo restregándose las mejillas con las manos y jalándose el pelo para ver si así terminaba de asimilar lo que apretaba su alma—. No tardaron ni doce horas en publicar algo que sucedió anoche, ¡tan solo anoche, mi amor! ¡Pobre Diana!, ¡está destrozada! Lo sé por lo poco que pude hablar con ella cuando me dieron un espacio los policías y los abogados. Dicen que va a necesitar a los mejores defensores de la ciudad para poder ganar el caso, pero sé que lo que necesita en este momento es comprensión, necesita a su mejor amiga, ¡me necesita!

Lorenzo se acercó para reconfortar a su esposa, que había perdido la compostura tras lo ocurrido. El abrazo duró poco por la ansiedad de Lisa, quien se separó para continuar su descarga.

—¡Cómo quisiera poder ayudarla, amor! Yo la conozco y sé que no es capaz de hacer algo malo, ¡pero con algo así cualquiera pierde la cordura! —tomó un vaso de la alacena, se sirvió un poco de agua y sacó una *Xanax* de la gaveta de medicinas.

Lorenzo la vio pasear de un lado a otro, agitada, como contando las baldosas del piso y repasando en su mente las posibilidades.

—¡Ella lo vio con sus propios ojos! —continuó Lisa con voz quebrada—. Lo vio abrirle la puerta del carro a la rubia del vestido púrpura y entrar con ella al motel sujetándola por la cintura. ¡Lo vio todo! ¿Cómo puedo culparla? Diego y Diana tantos años... juntos desde el colegio, se juraron amor eterno. ¡Cómo pudo hacerle eso a ella! ¡Los hombres son unos perros!

Lisa se acercaba el vaso a la boca, pero no tomaba más de un sorbo, continuaba vociferando su ira, su confusión, su solidaridad comprometida por la moral. Lorenzo observaba inmóvil.

—Ella sospechaba algo, pero nunca pensó que sería cierto. Tuvo que seguirlo y verificarlo, no podía creerlo, así como yo también estoy en negación total. Ver a tu esposo engañarte de esa manera, irse con una entaconada cualquiera mientras tú estás en casa como esclava cuidando de los hijos, los quehaceres, las finanzas. ¿Qué más le faltaba a Diego? ¡Lo tenía todo! Yo no sé qué haría en esa situación, Lorenzo —dijo, agachando su cabeza y poniendo sus dos manos sobre el mesón—, de verdad no lo sé, quizás también yo....

—¿Me matarías? —terminó la frase Lorenzo.

Lisa lo miró fijamente, se tomó otra pastilla con el resto del agua que quedaba en el vaso, le dio un beso y, sin decir nada más, subió a su habitación.

Lorenzo esperó a comprobar que Lisa estuviera dormida, entró al garaje y extrajo del baúl del auto su maletín negro. Lo abrió con cuidado para sacar lentamente la carterita de maquillaje, los zapatos de tacón, la peluca rubia y, por último, el vestido púrpura que le quedaba tan bien y que tanto le gustaba lucir para su amante. Lo apretó con fuerza y se lo acercó a la cara para secarse las lágrimas e impregnarse con lo que quedaba del aroma de su adorado Diego. Puso todo en una bolsa y la tiró al fondo del basurero.

Tras un largo suspiro subió las escaleras en silencio y se acostó al lado de su esposa intentando dormir; hizo todo lo posible para que Lisa no lo escuchara llorar.

Lo que escribo en la arena
(cuentos y otras cosas que se olvidan)

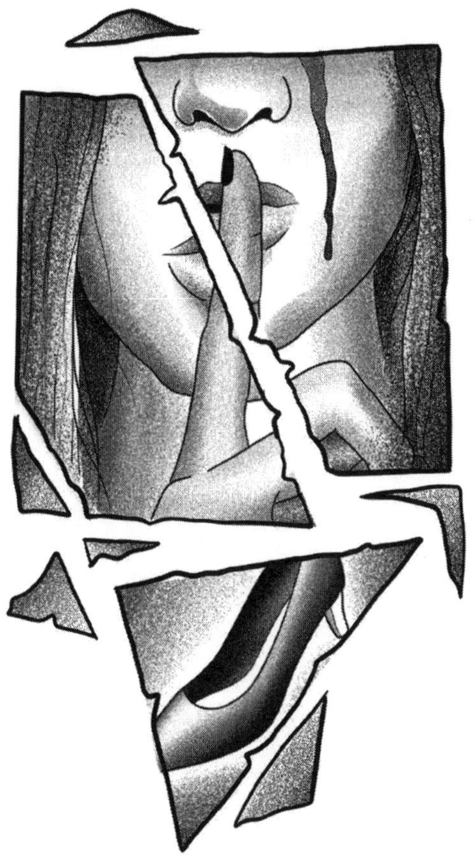

Al negro sol del silencio las palabras se doraban.
Pero el silencio es cierto.

Alejandra Pizarnik

Ángel y púrpura

Esa tarde de marzo, Antonia caminaba como si le hubieran robado el alma. Traía la mirada perdida y avanzaba sin poner atención a sus propios pasos. Solo al escuchar la estruendosa bocina de un auto se percató de que estaba cruzando la calle sin mirar.

Ella sabía que lo sucedido no fue su culpa; lo entendía, pero no contaba con la suficiente madurez para afrontarlo. En su mente se repetía como una película aquella decepcionante situación que la había llevado a escabullirse por las calles y a deambular sin rumbo fijo.

«¿Estaré exagerando?», se preguntaba Antonia, con una mezcla de rabia y vergüenza. Llegó a casa por instinto, y sin siquiera saludar a su madre decidió refugiarse bajo sus alentadoras cobijas, con la esperanza de que el sueño nocturno lograra borrar lo complicado de su día.

Sin embargo, lo que consiguió fue una cita con el insomnio y terminar aún más agobiada.

Cuatro horas de dar vueltas sobre el colchón la obligaron a despertar cansada y con dolor en el cuerpo. Se levantó sin ganas, y al encontrase con su imagen en el espejo se autorrecetó un discurso de superación personal; repitiéndose mentalmente que todo había sido un malentendido, que tenía muchas razones para olvidarse de todo, volver a creer y seguir su rutina sin sentirse devastada. Se vistió con lo primero que encontró y maquilló su tristeza con colores al azar.

Lo primero que vio al llegar a su oficina fue una nota que le había dejado su jefe; le informaba que debía tomar el primer vuelo disponible para una reunión fuera de la ciudad.

—¡Maldición! —dijo en voz baja—. Pensó que lo último que quería era tener que sonreírle a un montón de clientes idiotas y mantener con ellos conversaciones irrelevantes.

Terminó de responder correos en el computador y alistó la carpeta del proyecto cerciorándose de que no le faltara nada. Iba ya de salida cuando escuchó el timbre del teléfono de su oficina, Antonia se sintió tentada a regresar y contestar la llamada, pero decidió ignorarlo, cerrar la puerta y buscar a la secretaria que tenía listo lo que le hacía falta para su viaje. Tomó un taxi rumbo al aeropuerto y en el camino su mente no se abstuvo de divagar.

En el avión se sintió cómoda, le gustaba volar y al menos tenía algo diferente en qué pensar, intentaba no estar demasiado irascible. Suspiró al darse cuenta de lo rápido que pasó el vuelo y mientras esperaba parada en la acera la llegada de un taxi se sintió observada. Volteó la mirada a su derecha para encontrarse con el rostro algo risueño y gracioso de un niño que, por su ropaje destruido y cara sucia, etiquetó de inmediato como un niño muy pobre y sin hogar.

—¿Me da una moneda? —murmuró el niño, aprovechando el cruce de miradas.

Antonia quedó como flotando en una idea extraña que rondaba en su cabeza y no supo reaccionar.

—¿Me da una moneda? —repitió.

De pronto un taxi se detuvo justo frente a Antonia, y ella lo abordó en silencio sin dejar de mirar fijamente a los ojos del pequeño, como si estos la absorbieran y la transportaran hasta el centro de algún lugar lejano. El vehículo se alejaba dejando atrás al aeropuerto y al niño, pero no la sensación extraña que recorría su cuerpo.

Llegó a su cita con más de veinte minutos de anticipación, se anunció con la secretaria y la confinaron a esperar en una silla poco cómoda. No tenía muchas ganas de leer indicadores económicos o análisis empresariales, mucho menos horóscopos o consejos de belleza de las revistas de la mesita; así que se sirvió un vaso de agua y se paró junto a la ventana, después de todo estaba en un piso veintitrés y había que aprovechar la vista.

—Disculpe, señorita, el gerente no la puede atender ahora, dice que vuelva después del almuerzo —comunicó la secretaria con una sonrisa fingida. Antonia apenas pudo disimular el disgusto.

«¿Quééé? ¿No sabe este hombre que he viajado desde otra ciudad solo para esta reunión? ¡Qué falta de respeto!», pensó Antonia mientras bajaba en el elevador, rebuscando en su cartera algo de dinero sencillo para tomar otro taxi. Cuando el conductor le preguntó hacia dónde debía llevarla, se percató de que no tenía idea de a dónde ir.

—Lléveme a un buen sitio para almorzar, cerca de aquí, por favor —respondió.

«Necesito algo dulce», pensó, y decidió pedir únicamente un postre; mientras esperaba al mesero, recorrió con la mirada el lugar en el que tendría que matar al menos dos horas de su día. Comió despacio, sin poder dejar su mente en blanco, recordaba cosas y reanudaba en su cabeza conversaciones que la ponían de mal humor, no podía evitarlo, estaba presente aquella imagen de ayer.

Por accidente dejó caer sus anteojos oscuros al suelo y de inmediato se agachó a buscarlos bajo la mesa, solo después de estar un rato tratando en vano de encontrarlos volvió a acomodarse y se sorprendió con lo que vio.

Una mano pequeña y reseca le acercaba silenciosamente el objeto. Era de nuevo aquel niño del aeropuerto con sus ojos grandes y absorbentes clavados en ella. Antonia le dio las gracias, recibiendo los anteojos con incredulidad y sospecha.

—¿Vienes por otra moneda? —decidió preguntar Antonia.

—No puedo querer otra moneda, señora, ya que usted aún no me ha dado ninguna —respondió el niño con incómoda certeza.

—No es obligación de nadie dar dinero a todo el que lo pida —añadió ella, molesta.

—Tampoco es obligación de nadie recoger lo que otros dejan caer —concluyó el niño.

Medio extasiada por las ágiles respuestas del chiquillo, quiso preguntarle su nombre y dónde vivía, pero en ese momento sonó su celular: era su jefe. Atendió la llamada con falso respeto, dándole el reporte completo del hasta ahora desperdiciado viaje de trabajo. Mientras hablaba, rebuscaba sin parar en el fondo de su cartera.

Pasaron unos minutos hasta que colgó el teléfono, sacó de la cartera la moneda que estaba buscando, volvió la vista al tiempo que extendía su mano para entregársela al niño, descubriendo con sorpresa que se había marchado.

Luego de una espera más prolongada de lo que le habían anunciado, la reunión se dio por fin; sin embargo, no se concretaron todos los temas del negocio, por lo que el cliente le pidió a Antonia que se quedara un día más en la ciudad, a lo cual ella, sin otro remedio, accedió.

Salió del edificio con intenciones de buscar un hotel y alguna tienda para comprar ropa, ya que no quería presentarse al siguiente día con lo mismo que traía puesto.

En la tienda deambuló un rato, mirando indecisa todas las opciones. No podía creer que no le causara ninguna emoción la oportunidad, o más bien la excusa, de comprarse un nuevo atuendo. Por fin escogió algo y se dirigió a la caja para pagarlo, en el camino notó que había un alboroto en la puerta del almacén, en donde intervenía el guardia de seguridad y uno de los vendedores.

—¡Este niño es un ladrón! —acusaba el vendedor, mientras el guardia sostenía con los brazos a un niño y este trataba de zafarse.

«Esto es demasiada coincidencia», pensó Antonia, mientras se acercaba para comprobar que se trataba de la misma personita.

—¿Tienes dinero para pagar esto? —preguntó el guardia con brusquedad al niño, que miraba a Antonia con ojos avergonzados.

—¡Claro que no tiene dinero! Es un mendigo —agregó el vendedor, mientras trataba de quitarle al niño una pequeña caja que apretaba entre sus manos.

—Disculpe —interrumpió Antonia, quien no pudo evitar entrometerse, y empujada por una mezcla de incertidumbre y curiosidad decidió sacar al muchacho del problema—. ¡Suelten a este niño de inmediato!, por supuesto que tiene con qué pagar, él viene conmigo.

El guardia y el vendedor la miraron incrédulos, ¿Cómo una señorita tan bien vestida podría andar con un mendigo andrajoso y lleno de mugre?

—¿Está segura, señorita? —cuestionó el guardia, con una actitud que oscilaba entre rabia con el niño y su responsabilidad de nunca molestar ni contradecir a los clientes de la tienda.

—¡Claro que lo estoy! —insistió—. Ya terminamos nuestras compras y vamos a pagar, pero si duda de mí también, lo invito a llamar a un supervisor ahora mismo.

Salieron juntos del almacén sin intercambiar palabra y caminaron hacia la esquina, donde Antonia decidió romper el hielo y preguntar al niño su nombre.

—Me llamo Víctor —respondió.

—Bueno, Víctor, hay algo que necesito saber —añadió Antonia, con todas las intenciones de interrogarlo.

—Es para usted —interrumpió de inmediato Víctor, alcanzando dentro de la bolsa la pequeña caja del problema

—¿Para mí? —preguntó ella con evidente molestia por la ironía de la respuesta—. ¡Qué gran mentira! ¿Sabes qué? en realidad no necesito que me respondas para qué estabas sacando esto del almacén, solo dime, ¿pensabas pagarlo?

El niño finalmente bajó la mirada, cosa que no había hecho frente a ella antes, no desde su primer encuentro.

—Le pagaré —dijo el niño con voz entrecortada.

—No es eso lo que quiero —reclamó Antonia con tono desesperado ante el silencio del pequeño, quien, frustrado por no poder entregar la caja, la observó partir en un taxi rumbo al hotel.

Era la segunda noche prácticamente en vela y con mil cosas dando vueltas en su cabeza; quería con todas sus fuerzas dejar su mente en blanco, pero era imposible. En lo que pareció un abrir y cerrar de ojos, despertó con el timbre del teléfono de la habitación, tal como había programado en la recepción del hotel la noche anterior. Suspiró, confirmando que su cuerpo pedía a gritos unas vacaciones, o quizás un trabajo nuevo, o mejor aún, ¿una vida nueva?

La reunión se llevó a cabo con éxito y Antonia se sintió feliz, no por haber cumplido las expectativas de trabajo, sino porque ya por fin podía regresar a su casa. Pasó por el hotel a recoger su maletín y como tenía un par de horas extras, antes de su vuelo, decidió quedarse en el restaurante del lobby tomando un café. Estaba pensativa, no podía sacar de su mente la cara de Víctor. ¿Qué sabía sobre él? Absolutamente nada. Solo que tenía una energía muy especial y diferente que nunca había percibido en un ser humano, además una misteriosa y particular sintonía para encontrarse con él en lugares inesperados. En tan solo un día se había cruzado tres veces con un perfecto extraño. La siguiente «coincidencia» ya no la tomó tanto por sorpresa e hizo una mueca, que pudo ser una sonrisa, al verlo parado en el andén del aeropuerto. Él se acercó a ella, apurado. Esta vez no estaba ahí por casualidad, sino con la explícita misión de entregarle un sobre.

—Le dije que le pagaría —dijo el niño, que ya había recuperado esa mirada impenetrable y segura que lo caracterizaba.

—¿Por qué me estás dando dinero? —refutó Antonia escandalizada—. Te dije que no lo quería.

—Cuéntelo, está completo —replicó.

—No te ayudé con la intención de que me pagues, solo me hubiera gustado saber por qué razón querrías algo de una tienda tan costosa.

—Yo ya le contesté esa pregunta ayer, pero usted no quiso escucharme.

—¿Cómo pretendes que crea que ibas a darme un regalo a mí? Ni siquiera me conoces.

—Ahora ya la conozco, aunque no sé su nombre.

—Soy Antonia... y tú Víctor... pero eso no resuelve el misterio de que te has atravesado en mi camino tantas veces, en una ciudad tan grande; solo te digo que no hace falta que me pagues este dinero —insistió, poniendo el sobre en las manos del niño—. Quédatelo, lo vas a necesitar.

—¿Cómo sabe usted lo que yo necesito?

—¿No es obvio?

—Pues en ese caso, yo siempre supe lo que usted necesitaba.

—¿Lo que «yo» necesitaba? —Antonia soltó una carcajada y solo por la ironía lo invitó a continuar—. A ver, Víctor, dime, ¿qué es lo que yo necesito?

—Un ángel —respondió el niño, con tal firmeza que Antonia sintió que se le erizaba la piel.

—¿De qué estás hablando?

—¿No es obvio?

Al decir esto y cuando Antonia quiso reaccionar ante tan abrumadora conversación, Víctor ya se había marchado.

Al llegar a casa, Antonia descargó su pequeño equipaje y el portafolio, y cansada y meditabunda se sentó en su silla favorita. A los pocos minutos llegó su madre, venía agitada luego de hacer varias diligencias, hablando sin parar del tráfico, el calor y las noticias; mientras acomodaba por todos lados las cosas que traía en los paquetes del mercado, la lavandería y toda la correspondencia. Saludó a su hija con un beso en la frente.

—¿Cómo te fue, hijita? Mira, llegó esto para ti —dijo, entregándole un paquete pequeño. Antonia se puso pálida.

—Mamá, ¿qué es esto? —preguntó, aunque ya había reconocido atónita el aspecto del paquete.

—¿Cómo puedo saberlo, hija? —le contestó entre risas—. Llegó por correo y está a tu nombre, ábrelo.

Antonia tomó con delicadeza la caja, le quitó las cintas y la abrió con una lentitud abrumadora. Tenía en sus manos la misma cajita que ayer causó tanta polémica... pero ¿cómo? ¡Era imposible! ¿Cómo pudo llegar hasta ella? Tenía tantas preguntas. Terminó de abrirla y sacó de su interior un pañuelo de seda color púrpura.

Lo miraba extasiada, sin creerlo cierto, solo sabía que era real porque lo tenía en sus manos y podía percibir su aroma, un aroma sutil como las flores y una textura suave, como si estuviera tocando las nubes. Se le llenaron los ojos de lágrimas, y su madre, aún sin comprender lo que estaba sucediendo, decidió simplemente acompañarla con un respetuoso silencio.

Antonia le contó a su madre todo lo ocurrido los dos días anteriores: su mal humor, su frustración, su inconformidad, su tristeza, su falta de interés por su trabajo y su misterioso encuentro con aquel niño llamado Víctor.

—¿Un ángel? —susurró Antonia.

Se desahogó en risa y llanto, sintiéndose renovada. Su madre escuchaba con atención cada palabra, y cuando Antonia terminó de hablar, solo quedaba una inquietud:

—Pero, Antonia —preguntó su madre—. ¿Qué fue lo que ocurrió hace tres días que te tenía tan deprimida y desorientada?

—La verdad... ya no importa —respondió con una sonrisa que brotó desde su alma.

El cuerpo no sería capaz de moverse
si le faltasen las alas del espíritu.

José Saramago

La decisión

—¿Cómo puedes decirme que tú sabes lo que es mejor para ella? Tú no la conoces como yo —cuestionó Gabriel de manera firme, sin dejar de apretar los puños y mordiendo sin piedad la esquina de sus labios.

No fuiste tú quien secó sus lágrimas cuando mi padre se fue... ni fuiste tú quien habló sin parar durante el desayuno todos los sábados por la mañana para que no tuviera tiempo de pensar en sus tristezas. Tampoco fuiste tú quien se quedó a dormir tantas noches junto a su almohada para que no se sintiera sola. Fui yo. Sí, yo, la única persona que reconoce la complicidad en su sonrisa, la impaciencia en su voz y la ausencia en su mirada.

Cada segundo domingo de mayo le he llevado el desayuno a la cama, la he llenado de flores y dibujos hechos en la escuela, le he dicho lo importante que es para mí. Cada catorce de febrero he gastado mis ahorros para comprar los chocolates más sabrosos, esperando que el dulce haga efecto en su amarga soledad. Cada cumpleaños he subido el volumen de la radio para que la música invite a bailar a su alma sedentaria.

Gabriel caminaba de una esquina a otra del cuarto, con la impaciencia usual de un adolescente, cabeza agachada y sin parar de vociferar sus mil y una razones. De repente se detuvo frente al espejo y levantó la mirada; detrás de su reflejo continuaba, sin moverse de lugar, la persona a quien le hablaba hacía más de treinta minutos: un hombre de ojos claros y mirada profunda, muy bien parecido, luciendo escasas pero atractivas canas a sus cuarenta y cinco años.

No quería que sus ojos se encontraran con los de aquel individuo que pretendía robarle a la mujer más importante de su vida y reconocer en él la actitud dócil y genuina de alguien que procura entender su posición. No quería escuchar de sus labios un «comprendo lo que sientes», porque eso le daría alas, le haría sentir que ganaba terrero y le otorgaría el derecho de quedarse.

No quería pensar en la posibilidad de que ahora podrían llegar a la vida de su madre más chocolates, más flores, más música, más desayunos en la cama, y que no habría soledades que tapar ni lágrimas que secar. Se rehusaba a ver en aquel hombre la voluntad y el amor, su disposición de ofrecer calor y protección a ese hogar de dos: Gabriel y su madre, ¡solo dos! ¡No hay espacio para uno más! No quería, pero no pudo evitarlo. Dio media vuelta y desafió esos ojos, frente a frente, y pretendiendo disfrazar su vulnerabilidad dijo con voz quebrada:

—¿Cómo puedes decirme que ahora tú sabes lo que es mejor para ella?

—Gabriel, tienes la razón, tú la conoces más que yo y sabrás lo que es mejor para ella —respondió el hombre.

En ese momento, Gabriel supo qué decisión tomar.

Lejos

Cuando el sentimiento de la distancia existe en ti desde que tienes uso de razón, se amalgama con tus huesos; entiendes sus razones, pero no las reconoces. Se pasea por tu mente como recuerdo de la infancia, y hasta te embarga de una nostalgia dulzona que huele a *aguapanela* y sabe a caña.

El acento que pierdes y recuperas a tu antojo te dicta rutinas que absorbes al cabo de los años. «Me hace falta Cali» les dices a tus amigos, con la perorata y el dialecto que aprendiste de tu madre, repites aquellos dichos ajenos que nunca escuchaste en las calles, porque no eran tus calles, y no puedes decir que las olvidaste, pues en verdad nunca las conociste.

Diste tus primeros pasos en baldosas frías que no dejaron huella, únicamente heridas familiares por la pérdida y la maldición de lo irrecuperable. Te moviste cual veleta hacia donde dictaba el rumbo que otros decidieron por ti. Llamaste tuya esa tierra que no te vio nacer; pero fue cuna del ser más importante en tu vida. Cuna también de amores y desamores, desaciertos y amistades inquebrantables, donde también la muerte te arrebató a tu mejor amiga aquel diciembre y te culpaste por no estar ahí, por no poder impedirlo y en cambio lloraste por horas tirada en el piso del baño, sin entender por qué.

Más de veinte techos te cobijaron, moradas de papel, cartón, madera y espuma, pero ninguna sólida como la piedra. Algunos de esos sitios a los que llamaste «hogar», tenían puertas abiertas, otros con sus paredes tan erguidas que separaban algo más que un espacio: toda una era.

Únicamente el abrazo de tu «ángel inquieto» es y será para ti un hogar verdadero, ella la luna y tú, una ráfaga de viento, colándose por las ventanas fortuitas de tu cuerpo, moldeando historias bajo un sol inerme a las estaciones.

En esta urbe, el sol no tiene dueño
calles que arden con vehemencia
sudando las faenas del trópico
la inclemente rutina nos invita a divagar
inadvirtiendo el mismo sol
que en otra tierra nos laceraba.

Aire superfluo, colado en los ladrillos
nostalgia apuñalando la memoria
propagando espejismos
llanto seco por ese sol traicionero
que a nadie le pertenece
ni allá, ni aquí.

El pasado se confunde con el presente, y los colores de las banderas que te han cobijado se combinan al azar, tiñendo retazos de tela blanca como la memoria conveniente de tus errores, franjas amarillas como el atardecer de tus pupilas, azules de nostalgia profunda que te ahoga bajo la almohada y el rojo ardiente que se alza como recordatorio de aquellas oportunidades que tuviste para detenerte a pensar, y no lo hiciste.

No te acuestes a dormir con el pasado
las cadenas de ayer, hoy son alas
[son] latidos que se abren
por el perfume añejo del alma rasguñada.

Niégale al sueño comer de tu mano
propiciando el tormento
de las horas mansas
donde el cuerpo duele y la mente se desata.
Amorfo recuerdo,
calcificado en la mente
antología robada de los días
que jamás te pertenecieron.

Hoy, regresas al Valle del Cauca, eres la misma persona y a la vez renovada. El olor a café te hipnotiza y te dejas atrapar por las acemas y los bocadillos «sin manjarblanco por favor», si te apresuras a empalagarte no te quedan ganas pal' champús. Solo vienes a torcer la boca con el mango biche y a tocar base, a tu centro y origen, lo encuentras inmóvil y a la vez irreconocible; cuando quizás la irreconocible eres tú; luego de que agotaste la docilidad y el aguante, que cegaron tu cráneo por la rutina que apagó a otros mientras en ti se encendió un libro al que bautizaste «Clara»; tu alias, seudónimo, y ansiada catarsis.

Por las venas de Clara
corre un poeta
amigo del insomnio, maestro de lo efímero.

Enterrado en este lápiz
se esconde aquel poema
que nacerá en secreto, manchando las pupilas
con agua de colores.

Debajo de esta tinta
yacen quimeras
hilándose curiosas
en el telón blanco de un escenario vacío
presto a rebosar de penumbra y nostalgia
euforia y claridad.

Ahora traes un hijo nuevo «esta vez de papel» y la tierra te devuelve halagos, los saboreas, se te antojan ajenos porque nunca lo imaginaste, no estaba ni en el más absurdo de tus sueños. Te preguntas si fue necesario irse tan lejos para regresar a tu tierra y cosechar frutos. Ves a un país desde afuera y quieres cambiarlo, más que cuando estabas dentro, más que cuando entendías las páginas de su diario y discutías con los comensales sobre el día a día ciudadano.

Piensas en el cambio, la transfiguración que lograste en ti la quieres para tu familia, tu país y tu gente. ¿Está en tus manos? No todas las luchas son grandiosas, no todas las guerras son políticas, no todo cambio es inmediato. Tú, que has sido el camaleón del cuento, mutaste, te adaptaste y aprendiste a admitirlo. *¡Espérame, Colombia! voy a regresar, no para quedarme, sino para cambiarte, un verso a la vez.*

*Con tristeza, el camaleón se dio cuenta
de que, para conocer su verdadero color,
tendría que posarse en el vacío.*

Alejandro Jodorowsky

Morelli

A Jaime Cabrera

El profesor Esteban de La Torre dio vuelta a la esquina del pasillo en dirección a su despacho cuando vio aquel sobre de manila amarillo que ya no le sorprendía encontrar; siempre en el mismo lugar del piso y apoyado contra la puerta, pero que, teniendo una idea de la naturaleza de su contenido, le causaba cada vez más intriga y efusividad. Apresuró el paso para entrar a su oficina y abrirlo. Esta vez eran diez páginas y las devoró en menos de cinco minutos.

—Morelli —leyó en voz alta aquel nombre que aparecía al pie de la historia con un tono que delataba su frustración—. Algún día descubriré quién eres.

Tenía que tratarse de alguno de sus discípulos de la cátedra de Literatura Clásica que impartía tres veces por semana en la facultad de letras. Era su conclusión más probable, ya que el misterioso autor había escogido un seudónimo que resultaba familiar entre los amantes de Cortázar, sujeto constante de sus charlas en el aula. Esteban repasaba una y otra vez los rostros, personalidad, comportamiento y proyectos recientes de sus alumnos más destacados, tratando de descifrar entre ellos al escritor enmascarado. Los párrafos que recibía como regalo misterioso rebosaban pasión literaria, locura y un lado oscuro que le resultaba adictivo.

«Quizás estoy equivocado y no se trata de un estudiante, ¿será acaso uno de mis colegas docentes?», se preguntaba sin descanso mientras recorría los predios de la universidad para ir de una clase a otra. Su rutina diaria y su capacidad de caminar en modo «piloto automático» le habían permitido memorizar el trayecto. «¿Será la licenciada Rosenow?, ¿el profesor Anaya?, quizás Rynka o ¡la doctora Mendoza!», discernía ansioso por descubrir quién tenía la pluma tan afilada para llegarle al centro mismo de sus gustos siniestros.

Día tras día, le aguardaba un exquisito capítulo del mismísimo puño del tal Morelli. Recostado en la puerta de su oficina dentro de su abrigo de papel amarillo, presto a ser el manjar de palabras que el catedrático necesitaba para inspirar discursos a sus propios pupilos, a quienes trasladaba con pasión su criterio sobre Poe, Onetti, Kafka y otros clásicos. No se atrevía a hablarles del autor camuflado a quien secretamente envidiaba, recordando con nostalgia sus tiempos de fluidez literaria. Ahora no le resultaba fácil escribir, su mente lo traicionaba y le resultaba imposible encontrar de nuevo aquel trance que solía inspirarlo y empujarlo a crear historias fabulosas.

Eran las tres de la tarde del martes cuando terminó de acariciar la más reciente docena de páginas del autor oculto, todavía conservaban el aroma del interior del sobre de manila. Esteban se fijó en la hora y se sobresaltó al notar que estaba un poco tarde para su evaluación semanal con el siquiatra, por suerte solo le tomaría unos minutos llegar caminando al consultorio. Se percató de lo afortunado que era al tener todo tan cerca y al alcance: trabajo, atención médica y hasta su propia vivienda dentro de la universidad.

—¿Cómo va todo, Profesor de La Torre? —preguntó el siquiatra.

—Todo normal, doctor.

—¿Se le ha presentado algún nuevo episodio de sonambulismo esta semana?

—No, no lo creo —respondió Esteban con un suspiro y bajando la mirada.

Lo que escribo en la arena
(cuentos y otras cosas que se olvidan)

Solo recordamos lo que nunca sucedió.

Carlos Ruiz Zafón

Un banquete de dialectos

Paula intentaba asimilar su realidad, se encontraba lejos de su país, a las puertas de iniciar una nueva vida, y aceptarlo le producía ansiedad y tristeza. Era una calle como todas, pero no era su calle; tiendas por doquier, pero muy diferentes a las que conocía en su barrio; gente común y corriente, pero irreconocible para ella.

«Bienvenida a Miami... ¡Ya estás en los Estados Unidos! ¿No era lo que tanto deseabas?», se repetía en la mente, mientras repasaba las razones que la convencieron para dar este salto a un país ajeno, abandonando todo lo que conocía y comenzar de cero.

Antes de salir de Colombia, su vecino Alejo le entregó un papelito con el nombre y la dirección de un primo que había emigrado hacia tiempo y ahora era dueño de un almacén de electrónicos. Paula sabía que llegar a este país con un trabajo garantizado era un privilegio que muy pocos tienen, así que se propuso sentirse afortunada en medio de su desazón.

—Mira, Paulita —le dijo Pablo, dándole la espalda mientras acomodaba en la vitrina los celulares que acababan de llegar de China—. No porque seas amiga de Alejo quiere decir que no te va a tocar trabajar, ¿oís?

—Sí, cómo no, don Pablo —respondió Paula disimulando una leve incomodidad. Al rato se le acercó José, un muchacho venezolano encargado de las reparaciones, quien al verla un poco desanimada le buscó conversación.

—No te agobies, vale... el hombre parece una ladilla, pero es buena gente. ¿Quieres cotufas?

—¿Co... qué? —preguntó Paula confundida mientras José le ofrecía algo de comer que para ella era crispetas.

—Cotufas... bueno, vale «*popcorn*» —le aclaró José con «comillas en el aire» y tono burlón.

—Ándale que ya te he dicho que son palomitas de maíz, güey —interrumpió Diego, el cajero mexicano.

—¡Gracias! tengo mucho que aprender —dijo Paula aceptando el bocadillo y sonriendo ante la amabilidad de ambos.

Esa noche llegó exhausta al lugar donde se estaba hospedando; Teresa, la señora cubana dueña de la casa, la recibió y la invitó a sentarse a la mesa con los demás huéspedes del lugar. Teresa y Marcos, su esposo puertorriqueño, siempre tenían la misma discusión:

—¡*Alabao*, Marcos! ¿Ahora qué tienen los frijoles?

—¡Nena que se llaman habichuelas, no frijoles! —refutó Marcos—. Nunca te quedan como a mí me gustan... Además, ¿cuándo te vas a poner a hacer un buen *mofongo* para que cambies un poco el menú ese?

—Querrás decir *fufú* de plátano... ponte pa' las cosas, ¡que te lo cocine tu abuela! —concluyó frustrada Teresa.

A Paula, este mar de palabras le pareció novedoso, y mientras Teresa y Marcos discutían, ella no perdía detalle para aprender que para unas personas frijoles no son habichuelas, ni frijoles, sino fríjoles, y aunque tampoco le sabían igual a los que preparaban en Colombia, son sabrosos y diferentes. Así que siguió comiendo mientras trataba de adivinar qué podía ser eso del *fufú* y el *mofongo*.

Luego de la cena, Paula se hizo amiga de Jimena, una joven ecuatoriana que también se hospedaba con ellos. En la conversación, Jimena trataba de explicarle que el *fufú* y el *mofongo* eran algo así como el *bolón de verde* o el *tigrillo*, pero con otra forma y sin queso... Paula se quedó igual, sin entender. Fue a la cama pensando si algún día dejaría de sentirse como una extraña.

Para Paula, todos los días parecían el mismo, pero ningún día era como el anterior. Aquel país de la libertad se le antojaba como una pequeña cárcel, donde sus recuerdos la encerraban sin dejarla disfrutar de lo que ahora podía tener. Al día siguiente en el trabajo, Paula se enfrascó en una discusión con José, quien defendía a capa y espada que las arepas venezolanas eran mejores que las colombianas.

—Ya está bueno... —agregó Diego—. La neta que las tortillas son mejores que sus arepas desabridas, ¿eh?, y por tanto hablar ya me entró el hambre... ¡Qué bueno que traje unos elotes para el almuerzo!

—¿Elotes? —contestaron en coro José y Paula.

Diego soltó una carcajada y los dejó discutiendo ahora sobre mazorcas, choclos y jojotos.

Para sorpresa de Paula, esa noche en casa no había fríjoles para la cena... Miguel, un dominicano recién llegado a Miami, había ofrecido cocinar su especialidad: *mangú*, que resultó ser muy parecido al *fufú*, *mofongo*, *bolón* y *tigrillo*... y acabó por ser, además de la comida, el tema central de una agradable velada.

Al poco tiempo, Paula aprendió que las *crispetas* también eran *rositas*, *cocalecas* y *canguil*. Que el banano podía ser *cambur*, la naranja era *china* y el aguacate *palta*. Que los patacones eran *tostones* y las tajadas... *maduros* o *amarillos*. Durante su aprendizaje comenzó a sentir que podía convertir su nostalgia en alegría y que todos los días podía escuchar y absorber cosas nuevas, convirtiendo esas calles y lugares ajenos en algo familiar. Que todos los que la rodeaban, pese a tener diferentes palabras y procedencias, siempre podrían compartir y tener algo en común.

Así fue como Paula comprendió que no se trataba nada más de llenar su mente con recetas, o su estómago con diversas sazones, sino también su corazón con los deliciosos e inagotables manjares del banquete de dialectos.

Margarita y las mariposas

Para Ella (Margarita) de Ellas (las mariposas)

El encuentro sucede casi siempre al caer la tarde. A veces en el sosiego del balcón de su apartamento y otras veces mientras cumple con sus diligencias en la ciudad. Poco importa si llueve o si hace sol, si es un día muy apurado o le sobra tiempo para pasear por los centros comerciales. Pareciera que el universo se confabulara para reunirlas, una y otra vez.

Ella, de profundos ojos negros y mirada brillante. Su amplia sonrisa tiene el poder de llenar cualquier espacio, y abrigar el alma.

Ellas, con sus alas de sol salpicadas de grafito, revoloteando lento y sorteando la brisa simulando un parapente. Antenas inquietas, captando frecuencias imperceptibles para los humanos. «¡Ay, estos seres! siempre distraídos y apurados hasta el cansancio; siempre tan cerca el uno del otro y a la vez tan distantes, interesados en comunicarse, mas desinteresados en entenderse».

Ella, ocupada en sus quehaceres: su hogar impecable, la comida apropiada, sus tareas laborales y una rutina benevolente que no tiene intención de alterarse. Sin embargo, sus pupilas se iluminan con cada oportunidad de hacer feliz a alguien que ama.

Mariposas, pasan desapercibidas en un jardín, en una maceta de balcón o en un parque, esa es su especialidad. Después de todo, ¿quién tiene tiempo para detenerse a mirar un insecto?, sin importar cuánto esfuerzo haya invertido la madre naturaleza en sus obras de arte, estas criaturas sublimes desde sus orígenes —con una vida planeada meticulosamente para transformarse y resurgir majestuosas— pasan desapercibidas.

Margarita no es igual a las demás, ella sí se detiene a detallar sus colores, a contar los puntos de color grafito y a apreciar el aleteo natural de sus movimientos. Se posa frente a ellas y les sonríe. Tiene un oído tan agudo que puede escucharlas, quizás en la misma frecuencia, y logra darse cuenta de que traen consigo un mensaje:

Aprendemos de los que amamos
aunque ya no estén presentes
la brisa nos recuerda que nunca partieron
la lluvia y las flores son sus ojos
el mar y la arena, su sonrisa.
Recuérdalos con júbilo
porque el amor puro, jamás perece.

Hoy me pregunto cómo puedo definir la muerte, la respuesta la encuentro en la quimera de una mujer danzando con mariposas; o en la puerta de una jaula que un día veremos abierta y nos invitará a desaparecer aleteando para confundirnos con el viento.

¿Y aquellas alas de mariposa azul de qué nos sirven?
preguntarán los que nacieron sin alas.

Rubén Darío

Verano agridulce

A Lucía no le hacía falta un despertador. El pequeño orificio en su persiana dejaba colar aquella luz líquida de las siete de la mañana, muy típica de los veranos del Valle del Cauca. Abrió sus ojos muy temprano, a pesar de que las vacaciones habían comenzado hacía unos días y ya no había necesidad de madrugar. No había tareas que terminar, ni uniformes que buscar en el clóset.

Se le vino a la cabeza el escudo bordado en la blusa blanca de colegio, la de cuello redondo, fresca para el clima, pero incómoda por las mangas y los botones. Y ni hablar de la falda azul de pliegues, con ese cierre lateral que a cada rato se trababa, especialmente cuando estaba de afán. No, hoy no había que vestir ese horrible atuendo, ¡menos mal!, el día estaba como para unos *shorts* y la camiseta amarilla con el estampado de mariposas que tanto le gustaba; el pelo en una cola de caballo y los tenis blancos.

¡Lista para la acción! Cuando Lucía salió del cuarto como un soplete por el corredor de la casa y llegó a la cocina, se encontró con su mamá preparando el desayuno.

—¿Para dónde vas tan apurada? —interrogó su madre, a quien un presentimiento la había forzado a asomar la cabeza por el marco de la puerta, justo en el momento en que Lucía ya tenía medio cuerpo fuera de la casa.

—¡Mamá! Es que lo tengo *pillao* —respondió Lucía con voz apurada y ademán impaciente—. Voy a ver si ya lo puedo bajar.

—Mi amor, tú sabes que esos mangos pronto van a comenzar a caerse solos, ¿cuál es la obsesión de treparte a esa mata para bajarlos antes de tiempo?

Lucía torció la boca, no por grosería, sino por el gusto de imaginarse aquel mango biche, ácido como un limón y a la vez carnoso y crujiente como una manzana, dentro de las paredes de su boca, haciendo agua su paladar.

—No quiero que se madure, así verde es mucho más rico. Me lo voy a comer con limón y sal.

—Como sea, Lucía, pero antes me haces el favor de desayunar bien, que un mango biche no te va a alimentar como se debe. Y, por cierto, ¡buenos días!

Lucía arrastró sus pasos de regreso por el corredor, los brazos largos y caídos, refunfuñando por su fallido intento de salir pronto a su aventura matutina. Se sentó en la mesa auxiliar de la cocina, donde ya estaba instalada su hermana Sara, de ocho meses, con su babero y su compota de banano.

—¡Ay, Sara! si tú supieras lo delicioso que es el mango biche, no comerías esa papilla insípida. Ya quiero enseñarte a trepar árboles para que veas lo que se siente.

—Primero sería bueno que caminara, ¿no te parece? —agregó su mamá, mientras le ponía al frente un plato con huevos pericos y un generoso pedazo de pan aliñado con mantequilla—. ¿Quieres *aguapanela* o chocolate?

—*Aguapanela* —respondió Lucía, repasando en su mente el lado del árbol que consideraba más apropiado para llevar a cabo su cacería frutal.

Tan pronto devoró su desayuno, salió corriendo al patio y se paró frente al majestuoso tronco, tan erguido como un rey. Observó impresionada la magnífica ofrenda de hojas y frutos, mientras giraba su cabeza inclinada hacia arriba. Sus ojos brillaron cuando entre todas las ramas vio su objetivo: el alto y voluptuoso mango, luciendo el preciso tono de verde entre las hojas tropicales. El corazón de Lucia comenzó a latir más aprisa sabiendo que era el momento de ponerse a trabajar.

La primera parte de la escalada no le dio mayor dificultad; sus habilidades para trepar las ramas de aquel árbol que conocía desde muy pequeña eran evidentes. Ya en la mitad del camino, era crucial respetar la regla más importante del inclinado desafío: no mirar hacia abajo.

Sintió una gota de sudor rodarle por la frente, el calor veraniego era el implacable precio que había que pagar para poder disfrutar a plenitud de la época más divertida del año, sin contar la Navidad, por supuesto.

Se encontraba a tan solo un metro de su recompensa, apoyada en la rama principal, con una pierna haciendo función de ancla en la rama del frente, y la otra en la lateral. La fruta colgaba gloriosa de una pequeña red de hojas y tallos inestables. El sol la iluminaba, haciéndola ver aún más merecedora de todos los esfuerzos.

—¡Uh! ¿Por qué no tengo los brazos más largos? —se lamentó, sin perder la esperanza y las intenciones de conseguir el ansiado botín.

Tras unos minutos de descanso y análisis exhaustivo de la situación, divisó una rama delgada a su alcance, larga y flexible como para servirle de herramienta. Tomó la rama y comenzó a darle golpecitos al mango, con cuidado para no estropearlo, ¡hasta que finalmente lo logró! Lo vio desprenderse de su tallo y precipitarse en picada al suelo, donde cayó imponente sobre la cama de pasto verde. Lucía apresuró su descenso, tratando de contener su ansiedad y emoción por la victoria. Ya muy cerca del suelo, se disponía a saltar cuando sucedió lo inesperado.

—Wanda, ¡no! —gritó Lucía, pero ya era tarde. Con su acostumbrada velocidad, traviesa e inquieta, la labradora dorada llegó antes que ella al lugar donde había caído la fruta, y considerándolo un juego la atrapó en su hocico y salió disparada hacia el otro extremo del jardín, ante los ojos atónitos de Lucía.

La intensa persecución dio comienzo tan pronto puso sus pies sobre la tierra. Las cuatro agitadas vueltas al jardín y los comandos aprendidos en la escuela canina solo sirvieron para dejar a Lucía extenuada en los escalones de la entrada cubierta en sudor y frustración. Wanda, con la euforia de lo que para ella significaba un divertido juego con su querida hermanita humana, puso su mejor cara de encanto y se acercó a Lucía para entregarle el mango mordisqueado, pegajoso y lleno de tierra y pasto.

—¡Ay, Wanda! —suspiró Lucía—. Tienes suerte de que te quiera tanto.

Diciendo esto se abalanzó a abrazarla y se revolcaron las dos por el pasto como dos buenas hermanas, riendo y gruñendo de alegría.

Ya en la tarde, luego de darse un buen baño y cambiarse de ropa, Lucía descansaba en la hamaca aún con la cara larga por los resultados amargos de su misión. No se percató de que su padre había llegado del trabajo, hasta que él acercó una silla para sentarse a su lado.

—¿Alguien pidió mango biche con limón y sal? —dijo, entregándole uno de los tenedores que traía para compartir el festín, que puso frente a ella como por arte de magia. Lucía no preguntó de dónde salió la fruta. Los dos se miraron de manera cómplice y torcieron la boca al mismo tiempo, riendo y saboreando el ácido y codiciado manjar.

microrrelatos

Me volví loco,
con largos intervalos de horrible cordura.

Edgar Allan Poe

Dulce rencor

Esperó inmóvil tras la puerta durante siete minutos para asegurarse de que no la seguían. Giró siete veces el pestillo, como de costumbre. «Inhala, exhala», pensó mientras contaba hasta siete.

Sentada en la mesa de la cocina, miraba absorta la pantalla de su celular, cerró los ojos justo a tiempo para evitar ver el reloj marcar las 7:07.

Se mordió los labios y el rencor, y mientras afilaba siete veces su cuchillo, bebió el café que endulzó con su última lágrima.

Perro virus

Contó hasta tres antes de quitarse el tapabocas.

«Los virus son inofensivos a menos que les demuestres el miedo», pensó.

Exquisito bocado

La mesa improvisaba un mantel, servilleta de tela y cubiertos finos. *Filet mignon* término azul, tal como pidió.

Cerró los ojos para apreciar entre sus dientes la consabida textura e impregnar su lengua del sabor metálico que lo estimulaba. Después de todo, era el último bocado antes de su ejecución.

Llegada

Sintió un apretón en las entrañas; quizá porque anticipaba el reclamo por regresar a esa casa después de salir dando un portazo hace tantos meses; o el simple hecho de que el elevador ya estaba en movimiento y su claustrofobia no perdonaba.

Se encendió la luz tenue de la pantallita anunciando el tercer piso... cuarto... quinto... el sexto ni lo notó; como tampoco notó a las tres personas que compartían el aire espeso de esos dos metros cuadrados, con la boca tapada y la mirada ocupada en sus respectivos celulares.

La puerta se abrió y se apuró a desaparecer cualquier evidencia de llanto mientras se desplazaba del elevador hasta el umbral del 708. No tuvo necesidad de tocar el timbre, el anuncio de desalojo le dio la bienvenida.

Ciclos

Su esposa dormía profundamente cuando Marco terminó de arropar en la cama al más pequeño de sus tres hijos.

10:38 *p.m.*

—Todo en itinerario —susurró tras ojear el reloj de la cocina.

En su [otra] casa no lo esperan antes de las once.

El viaje

Miró por la ventanilla y se le escapó un suspiro de alivio, mientras se abrochaba el cinturón para iniciar el vuelo que lo llevaría de regreso al país donde encontraría la muerte.

La realidad es más real
en blanco y negro.

Octavio Paz

Agradecimientos

A mis maestros y mentores: Pilar Vélez, Jaime Cabrera y Elgar Utreras Solano; por el regalo generoso e invaluable del conocimiento.

A los miembros de Milibrohispano y del taller de escritura creativa de Miami Beach, por su amistad y entusiasmo, me siento orgullosa de pertenecer a una comunidad de respeto y aprendizaje mutuo.

A mi familia y amigos por ser mi soporte y fuente inagotable de apoyo.

Esta obra está dedicada a la memoria de mi padre, ***Efrain H. Illera Arce***; su cariño prevalece impregnado en el color de las orquídeas y las alas de una mariposa.

Susana

Noviembre de 2020

Sobre la autora

Susana Illera Martínez

Escritora, diseñadora, soñadora y aspirante a poeta.

Autora premiada por su libro bilingüe *Lala ~ A Different Kind of Lizard (Una lagartija diferente)*, ganador del Segundo lugar en el International Latino Book Awards de 2020 en la categoría de Most Inspirational Children's Picture Books. En 2018, publicó de manera independiente su primer libro de poesía y cuento breve *Clara, cuentos y poemas*. Ha participado y presentado su obra en varias plataformas y eventos en Estados Unidos, España, Ecuador y Colombia.

Susana es participante activa del taller de escritura creativa de la Biblioteca de Miami Beach, Florida; miembro de FILCOL (Feria Internacional del Libro de Colombia en el exterior) y embajadora de buena voluntad de Hispanic Heritage Literature Organization / Milibrohispano.org. Algunos de sus cuentos y poemas han sido premiados y forman parte de antologías literarias.

Más sobre la autora en www.susanaillera.com.

Made in the USA
Middletown, DE
22 December 2020

29499150R00064